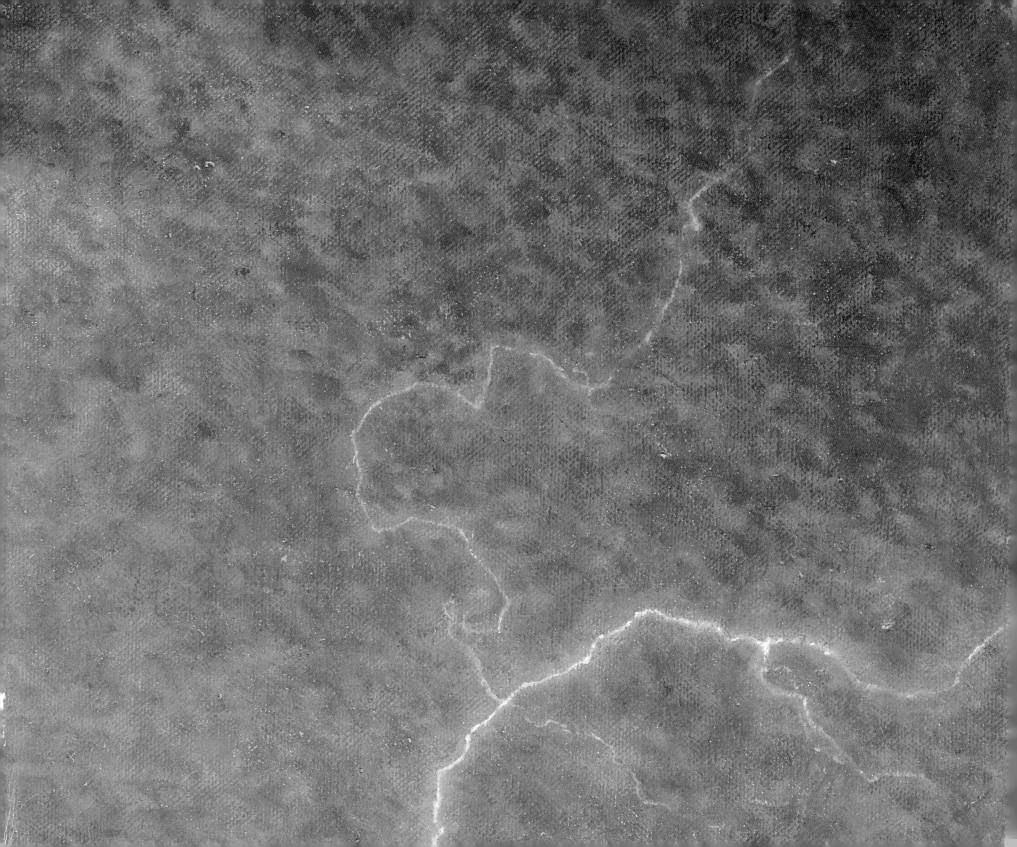

Pour T.W.
D.S

Pour Lin, avec amour
G.B

© 1993, *l'école des loisirs*, Paris,
pour l'édition en langue française.
© 1993, Dyan Sheldon pour le texte
© 1993, Gary Blythe pour les illustrations
Titre original : "The Garden",
Hutchinson Children's Books,
(Random House UK Ltd.), London.
Texte français de Claude Lager

Loi N° 49 956 du 16 juillet 1949,
sur les publications destinées à la jeunesse :
septembre 1993.
Dépôt légal : septembre 1993

Imprimé à Singapour par *Tien Wah Press (Pte) Ltd.*
Typographie de la version française : *Architexte*

LE JARDIN DE MÉRÉDITH

Texte de Dyan Sheldon
illustrations de Gary Blythe

PASTEL
l'école des loisirs

AR16,429

En creusant un trou dans le jardin, Mérédith a trouvé une pierre. C'est une pierre sombre qui se termine en pointe. Elle est à la fois douce et tranchante. Mérédith n'en n'a jamais vu de semblable auparavant. «Regarde, Maman», dit-elle, «tu ne crois pas que c'est une pierre magique?» Sa maman sourit: «Ce n'est pas une pierre magique, c'est un silex. Peut-être même une pointe de flèche. Elle est sûrement là depuis des centaines d'années».

Mérédith regarde le jardin.
Il y a des parterres de fleurs contre
la clôture et un étang à poissons.
Au milieu de la pelouse, on a installé
une balançoire et un barbecue.
Au-delà du jardin, on voit les maisons
voisines, l'éclairage des rues et
les phares des voitures sur la route.
Encore plus loin, c'est la ville avec
ses supermarchés et ses grands
buildings. «Comment c'était
il y a des centaines d'années?»
demande Mérédith. «Il n'y avait rien
de ce que tu vois maintenant»,
répond sa maman en faisant tourner
le silex dans sa main.

Mérédith essaie d'imaginer
des forêts à la place des rues,
des champs à la place des villes.
C'est difficile… Son regard fixe
un horizon de plus en plus lointain.
Soudain, elle voit un homme
à cheval qui semble galoper dans
les nuages. Elle cligne des yeux;
le cavalier disparaît. Mérédith
retourne près de sa maman.
«Je viens de voir un Indien», dit-elle.
«Il traversait la plaine sur un cheval».

Alors, Mérédith et sa maman parlent des grands espaces, aussi vastes que le ciel, des plaines, des montagnes et des forêts, des hommes qui y chassent et qui se retrouvent le soir autour d'un feu pour se raconter les légendes de leur peuple. «Notre vie actuelle est bien loin de tout cela!» soupire la maman. «Il ne nous reste rien de ce temps lointain.»

«Si, il nous reste ma pointe de flèche», dit Mérédith.

«Tu as raison», dit sa maman, «il nous reste une pointe de flèche».

Mérédith passe toute l'après-midi
dans le jardin. Elle essaie d'imaginer
des gens dans les champs,
des cavaliers dans les collines.
Mais elle ne voit que les voitures
et les camions qui défilent
à toute allure sur la route.
Elle essaie d'imaginer des chasseurs
dans les hautes herbes de la plaine.
Mais elle ne voit que le chat
qui traque un insecte à travers
les arbustes et les massifs de fleurs.
Au crépuscule, les formes
s'estompent, le jardin s'emplit
de mystère et de bruits étranges.
Mérédith croit percevoir
les chuchotements des femmes
qui entretiennent le feu. Mais c'est
seulement la radio des voisins.

La lune est apparue dans le ciel.
«Mérédith! Rentre, maintenant,
il fait presque nuit!»
Mais Mérédith fait semblant
de ne pas entendre sa maman.
Elle veut rester dans le jardin.
Un peu plus tard, elle demande
l'autorisation de dresser sa tente
sur la pelouse pour dormir
comme les Indiens. «D'accord»,
soupire sa maman, mais installe-toi
à proximité de la maison».

Cette nuit-là, Mérédith reste
longtemps éveillée. Elle écoute
les aboiements des chiens et finit
par entendre des loups hurler.
Elle fixe si longtemps le ciel qu'elle
croit voir un nuage se transformer
en buffle en passant devant la lune.
Finalement, elle s'endort, la pointe
de flèche serrée dans le creux
de sa main.

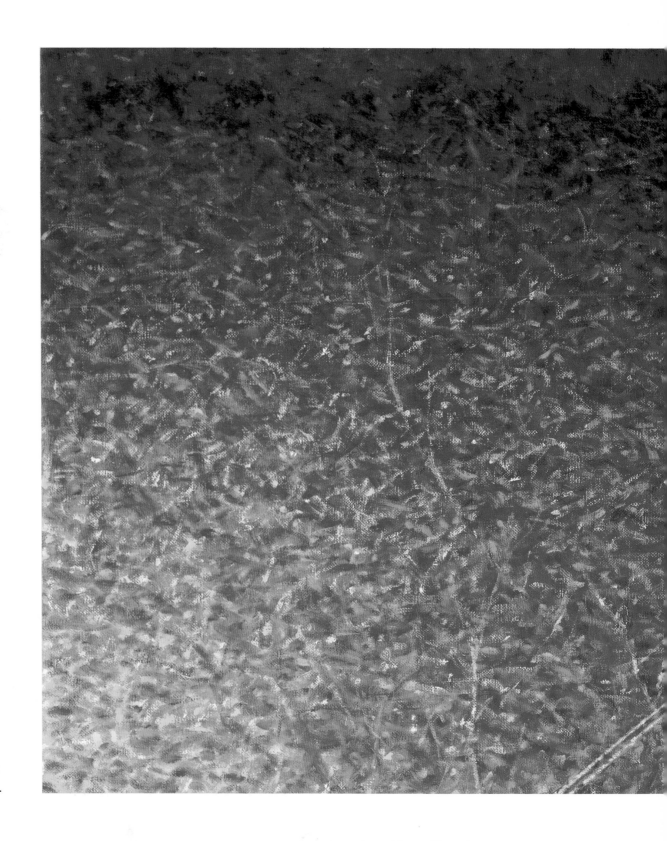

Mérédith rêve.

Dans son rêve aussi, il fait nuit.

Elle entend des murmures et

des chuchotements tout proches.

Elle sort la tête par l'ouverture de

la tente. Dehors, rien ne ressemble

à ce qu'elle connaît.

Elle est dans un autre monde.

La lune est jaune comme le maïs
et les étoiles paraissent immenses
dans le ciel d'encre. Il n'y a plus
ni maisons, ni lumières, ni routes,
ni voitures.
Là où était la ville, on ne voit
que des collines et des prairies.
Seuls les cris des oiseaux nocturnes
et le bruissement des arbres
troublent le silence.
Mérédith regarde autour d'elle.
Le jardin a disparu. Des chevaux
broutent là où était la pelouse et un
ruisseau murmure là où se trouvait
l'étang. A la place de la balançoire
se dressent des tipis décorés
de peintures ; assis en rond autour
d'un feu, des hommes discutent
à voix basse.

Soudain, l'un d'eux se retourne
et regarde Mérédith. Il lui fait signe.
Dans son rêve, Mérédith comprend
tout de suite ce qu'il désire.
Il veut qu'elle lui rende la pointe
de flèche. Mérédith sort de sa tente
en rampant.
Les chiens se mettent à aboyer.
Mais dans son rêve, Mérédith
n'a pas peur.

Elle se dirige vers le feu, s'assied
près de l'homme et dépose le silex
dans le creux de sa main.
Mérédith reste toute la nuit
avec les Indiens.
Accompagnés par le battement des
tambours et la mélodie des flûtes,
ils lui racontent comment était
la vie à l'époque des grands espaces :
les légendes se lisaient
dans les étoiles, tout ce qui existait
sur terre avait un cœur et une voix,
le temps se mesurait
aux changements de lune…

Le matin, lorsque Mérédith
se réveille, le monde est redevenu
comme avant. Les fleurs poussent
contre la clôture et les voitures
défilent à toute allure sur la route.
Le silex toujours au creux de
la main, Mérédith sent battre son
cœur et se souvient du battement
de tambours de son rêve.
Sans bruit, elle sort de la tente
et va tout au bout du jardin.
Là, elle enterre la pointe de flèche.
Puis elle lève les yeux vers le ciel
et, pendant un bref instant,
dans la lumière vibrante,
elle revoit le monde tel qu'il était
il y a bien longtemps.

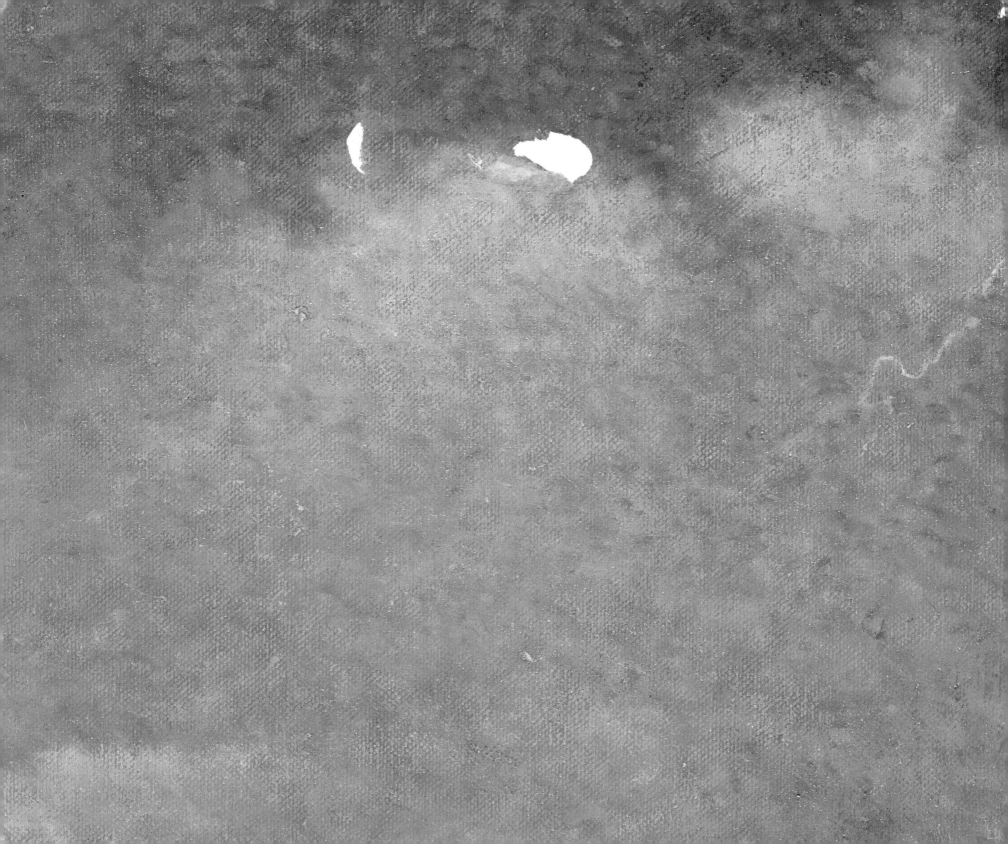